Mis primeras letras

MW00595986

Mis primeras letras

Libro de lectura y escritura para primer año

Letra script y ligada

Carmen G. Basurto
José Luis Castillo Basurto

EDITORIAL TRILLAS

México, Argentina, España
Colombia, Puerto Rico, Venezuela

Catalogación en la fuente

Basurto, Carmen G.
    Mis primeras letras : libro de lectura y escritura
para primer grado : letra script y ligada. -- 2a ed. --
México : Trillas, 1995 (reimp. 2004).
    127 p. : il. col. ; 27 cm.
    ISBN 968-24-5347-X

    1. Escritura - Estudio y enseñanza (Primaria).
2. Lectura - Estudio y enseñanza (Primaria).
I. Castillo Basurto, José Luis. II. t.

D- 372.6'B135m   LC- LB1525.26'B3.6   2363

La presentación y disposición en conjunto de
MIS PRIMERAS LETRAS. Libro de lectura y escritura
para primer grado. Letra script y ligada
son propiedad del editor. Ninguna parte de esta obra
puede ser reproducida o trasmitida, mediante ningún sistema
o método, electrónico o mecánico (incluyendo el fotocopiado,
la grabación o cualquier sistema de recuperación y almacenamiento
de información), sin consentimiento por escrito del editor

Derechos reservados
© 1993, Editorial Trillas, S. A. de C. V.,
División Administrativa, Av. Río Churubusco 385,
Col. Pedro María Anaya, C. P. 03340, México, D. F.
Tel. 56884233, FAX 56041364

División Comercial, Calz. de la Viga 1132, C. P. 09439
México, D. F. Tel. 56330995, FAX 56330870

www.trillas.com.mx

Miembro de la Cámara Nacional de la
Industria Editorial. Reg. núm. 158

Primera edición, mayo 1993 (ISBN 968-24-4808-5)
    Reimpresión, mayo 1994
Segunda edición, 1995 (ISBN 968-24-5347-X)
    Reimpresiones, 1996, 1997, 1998, 1999, 2000, 2001,
    2002 y 2003

Novena reimpresión, marzo 2004

Impreso en México
Printed in Mexico

Esta obra se terminó de imprimir y encuadernar
el 2 de marzo de 2004,
en los talleres de Representación de Impresores Nacionales, S. A. de C. V.
AO 75 IXW

SUGERENCIAS METODOLÓGICAS PARA LOS MAESTROS Y LOS PADRES DE FAMILIA

LA LECTURA

La lectura es una actividad fundamentalmente visual.

El proceso mental de la lectura se compone de diferentes etapas: *percibir, entender* y *expresar*.

La enseñanza elemental de la lectura, puede ser mecánica o inteligente. Este material didáctico se inclina por la segunda opción y fundamenta su éxito en las reacciones favorables que produce en los niños y en la efectividad comprobada durante muchos años por los maestros del primer grado de enseñanza elemental.

Aprender a leer no consiste en pronunciar mecánicamente los sonidos, las sílabas o palabras; *leer* es interpretar inteligentemente en una página impresa el significado de las ideas.

El libro titulado MIS PRIMERAS LETRAS tiene como finalidad proporcionar los conocimientos mediante las voces fonéticas; de este modo, la enseñanza es fácil, lógica, activa y amena.

El libro presenta un material completo consistente en ilustraciones con ideas concretas, palabras, frases y oraciones; emplea el silabeo solamente para derivar la construcción de nuevos vocablos; en el momento preciso recurre al sonido de las letras, *NO* como una abstracción en sí misma, sino como una finalidad para sugerir ideas relacionadas con el interés y la experiencia de infantiles.

Los ejercicios de pronunciación son sistemáticos.

La lectura oral y silenciosa es simultánea a la escritura.

En forma lógica y gradual se intercalan evaluaciones para conocer los avances en el aprendizaje.

El contenido de las lecciones se refiere a diversos aspectos: históricos, cívicos, sociales y de la naturaleza.

Por último, se incluye una sección con trabajos manuales, conformada por modelos para colorear y armar.

LA ESCRITURA SCRIPT

Esta obra contiene las innovaciones que la modernización educativa imprimió a los planes de estudio y programas en vigor para la escuela primaria elaboradas por la SEP. Así sumamos nuestros esfuerzos a la Campaña Mundial de Alfabetización, y damos una nueva versión de este material, ya clásico, a los niños y maestros que con tanto agrado, desde hace varios años, han utilizado este sencillo método con resultados satisfactorios en el aprendizaje del idioma español.

La letra script se aprende lentamente porque se dibuja imitando los caracteres de los tipos de imprenta; los trazos se fraccionan, se "encajonan" en un molde o cuadro, por lo mismo, también se llaman *letras de molde*. Para poder producir con claridad y perfección esta escritura, es necesario que los alumnos usen cuadernos de cuadrícula grande. Es verdad que los niños escriben los mismos caracteres de la letra que leen. Algunos pedagogos afirman que deben trazarla sobre papel sin ningún rayado; pero nuestra experiencia nos indica que para lograr mayor precisión, es indispensable usar papel cuadriculado como el que se encuentra más adelante, consistente en recuadros con tres espacios numerados 1, 2, 3, en el margen izquierdo, para que el alumno distinga y ajuste sus trazos a los tamaños requeridos.

La letra script minúscula se traza con una ruedita (cerradas, algunas con líneas rectas), círculos, semicírculos, "bastones" o "ganchos". La línea horizontal número 2 del renglón es la *base* de la cual parten las letras largas hacia arriba o hacia abajo. Las letras que ocupan un espacio son: a, c, e, i, m, n, ñ, o, r, s, u, v, w, x, z. Las letras que ocupan dos espacios, 1 y 2, son las largas hacia arriba: b, d, f, h, k, l, t. Las letras que ocupan los renglones 2 y 3, son las largas hacia abajo: g, j, p, q, y. Las letras mayúsculas ocupan los renglones numerados con 1 y 2.

Los trazos básicos de este tipo de escritura son rectos, redondos o curvos. Los pasos técnicos expuestos en esta obra son los siguientes:

1. Familiarizarse con las fromas de cada letra, tratando de hacerlas iguales a las que se leen.
2. Ejercicios sistematizados para adquirir la habilidad necesaria en el trazado, ya sea de líneas rectas, círculos y semicírculos.
3. Uso de cuadernos con cuadrícula grande con ejercicios graduados de letras con formas similares.
4. Reposo con lápiz de oraciones, frases, letras y sílabas que se incluyen en esta obra, en colores tenues (rosa, generalmente) para imitar los modelos que están impresos en color negro o fuerte.
5. El maestro es, en gran parte, el responsable del éxito en lo que respecta a la enseñanza de la letra script (tipográfica o de molde); todo depende del estusiasmo, la dedicación y cuidado que ponga en los trazos que ejecute frente a sus alumnos, hasta lograr que éstos escriban de manera clara, rápida, personal y hermosa.

LA ESCRITURA LIGADA

En la letra ligada, los trazos son continuos y, si se traza correctamente, se puede lograr una gran rapidez al escribir, además de gran belleza en sus caracteres.

Los pasos técnicos por seguir para trazarla son:

1. Familiarizarse con las formas de cada letra.
2. Ejercicios sistematizados para adquirir la habilidad necesaria en el

trazado, auxiliándose con el diario de aprendizaje *Mis primeras letras*, de los mismos autores.

3. Uso de cuadernos rayados, con ejercicios graduados de letras similares.
4. Repaso con lápiz de oraciones, frases, letras y sílabas que se incluyen en esta obra, en colores tenues (rosa, generalmente) para imitar los modelos que están impresos en color negro o fuerte.
5. La letra script genera la cursiva, en virtud de que a la primera se le agregan las ligaduras o enlaces para producir la letra ligada.
6. El maestro es responsable de la enseñanza de la letra ligada, por lo que puede auxiliarse del texto *Aprendo a escribir* de los mismos autores, el cual comprende gran cantidad de ejercicios y canciones previas al aprendizaje de este tipo de letra.

LA LECTURA

Las palabras, frases y textos breves conllevan a un mayor avance en el conocimiento de la lectoescritura, pues los alumnos aprenden a escribir y leer poco a poco las sílabas que se les enseña gradualmente.

Las sugerencias técnicas concretas que se dan para mejorar la lectura, además de las que van al pie de cada página, son las siguientes:

a) Conversar para despertar el interés de los alumnos en el tema a tratar.
b) Observar las ilustraciones y comentarlas.
c) Lectura en voz alta por parte del maestro y de los alumnos (de manera individual o grupal).
d) Aumentar el vocabulario dividiendo las palabras en sílabas para construir nuevos vocablos con los elementos aprendidos.
e) Pronunciar el sonido de la letra que se enseña, combinándolo en voz alta con las cinco vocales.
f) Enfatizar una sola dificultad en cada lectura y presentar acercamientos paulatinos a los nuevos conocimientos. Con esto se logrará asimilar la nueva letra o combinación de letras y aproximar a los alumnos al manejo de las siguientes.
g) Ejercitar la discriminación visual y auditiva, además de la pronunciación y la destreza motriz.
h) Organizar un *Club de los buenos lectores*, estimulando a los más estudiosos y animando a los de lento aprendizaje.
i) Participar en los programas o fiestas generales que organice la escuela.
j) Modelar las letras con plastilina o masa coloreada y engomada.

La clave del éxito de la enseñanza es el maestro(a). La adquisición de habilidades, conocimientos y actitudes que logren los alumnos depende de la preparación, entusiasmo y dedicación de quien les enseña.

Para obtener mejores resultados en la aplicación de este método, es recomendable utilizar el *Cuaderno de trabajo*, complementario de *Mis primeras letras*, el cual contiene un *Diario de aprendizaje* y ejercicios sistematizados.

LOS AUTORES

ABECEDARIO DE
LETRA SCRIPT

MINÚSCULAS AGRUPADAS CONFORME A SUS TAMAÑOS RELATIVOS.
De un solo tamaño partiendo del renglón de BASE núm. 2.

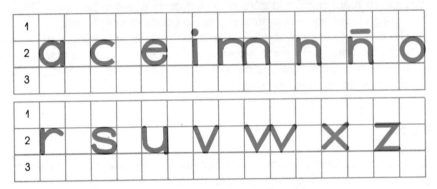

De dos tamaños o largas hacia arriba.

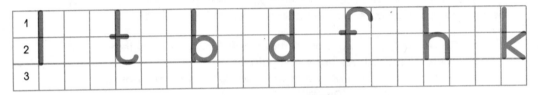

De dos tamaños o largas hacia abajo.

MAYÚSCULAS DE DOS TAMAÑOS HACIA ARRIBA.

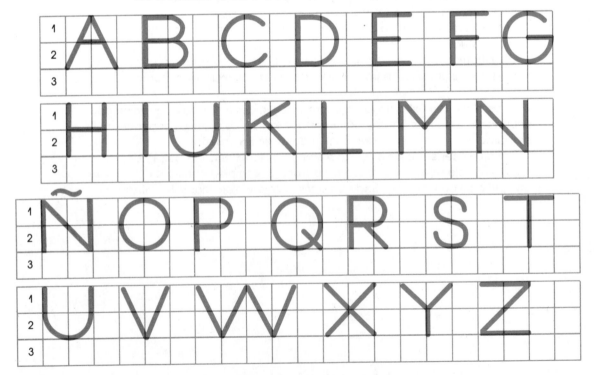

ABECEDARIO DE LETRA LIGADA

ABECEDARIO DE LETRAS MINÚSCULAS

a b c d e f g h i j k

l m n ñ o p q r s

t u v w x y z

ABECEDARIO DE LETRAS MAYÚSCULAS

A B C D E F G H I J K

L M N Ñ O P Q R S T

U V W X Y Z

Índice de contenido

Primera parte

ENSEÑANZA DE LA LETRA u, U

Letra script (4 sesiones)

Primera sesión: Trazar palitos de arriba hacia abajo, separados con un guión.

Segunda sesión: Trazar ganchitos de arriba hacia abajo, separados con un guión.

Tercera sesión: Trazar letras *u* minúsculas separando cada letra con un guión.

Cuarta sesión: Trazar letras *U* mayúsculas, separando cada letra con un guión.

Letra ligada (4 sesiones)

Primera sesión: Ritmo de la escritura: 3 unidades de movimiento. Letras separadas por un guión.

Segunda sesión: Tres letras encimadas, separadas por un guión.

Tercera sesión: 3 letras ligadas en 7 unidades de movimiento.

Cuarta sesión: *U* mayúscula en 3 unidades de movimiento. Letras separadas por un guión.

UNIDAD DE APRENDIZAJE:

Lectoescritura. Enseñanza de la letra *u, U*. Motivación: comentar la ilustración. La letra *u* es similar al sonido que emite la bocina del ferrocarril que viene arriba o parte de la estación. Emitir ese sonido alargándolo así: *u u u u*. Trazar la letra en el aire y en el pizarrón. Modelar con plastilina las letras *u, U*.

ENSEÑANZA DE LA LETRA e, E
Letra script (4 sesiones)

Primera sesión: Trazar círculos de tres cuartos, separándolos con un guión.

Segunda sesión: Trazar letras e minúsculas, separadas con un guión.

Tercera sesión: Trazar dos letras e seguidas y separar cada par con un guión.

Cuarta sesión: Trazar la *E* mayúscula separando cada letra con un guión.

Letra ligada (4 sesiones)

Primera sesión: Ritmo de la escritura: 2 unidades de movimiento. Letras separadas por un guión.

Segunda sesión: Tres letras encimadas, separadas por un gruión.

Tercera sesión: 3 letras ligadas en 4 unidades de movimiento.

Cuarta sesión: Trazar la *E* mayúscula en 3 unidades de movimiento. Letras separadas por un guión.

UNIDAD DE APRENDIZAJE:

Lectoescritura de la letra *e, E*. Motivación: comentar la ilustración. La *e* es parecida a la expresión que emite la viejecita sorda que no puede oír cuando le hablan. Emitir el sonido alargándolo así: *e e e e*. Trazar la letra en el aire y en el pizarrón. Escribir los ejercicios y las letras por separado hasta dominar el trazado. Usar cuadernos de cuadrícula grande. Repasar las letras con lápiz o con un color suave. Modelàr con plastilina las letras *e, E*.

ENSEÑANZA DE LA LETRA i, I
Letra script (4 sesiones)

Primera sesión: Trazar palitos de arriba hacia abajo, separándolos con un guión.

Segunda sesión: Trazar la letra *i* minúscula, separando cada una con un guión.

Tercera sesión: Trazar tres letras *i* separando cada conjunto con un guión.

Cuarta sesión: Trazar letras *I* mayúsculas, separando cada una con un guión.

Letra ligada (4 sesiones)

Primera sesión: Ritmo de la escritura: 3 unidades de movimiento. Letras separadas por un guión.

Segunda sesión: Tres letras encimadas, separadas por un guión.

Tercera sesión: 3 letras ligadas en 7 unidades de movimiento.

Cuarta sesión: Trazar la *I* mayúscula en 3 unidades de movimiento. Letras separadas por un guión.

UNIDAD DE APRENDIZAJE:
Lectoescritura de la letra *i, I*. Motivación: comentar la ilustración. La letra *i* es semejante al grito que emiten los ratoncitos para comunicarse. Producir el sonido alargándolo así: *i i i i*. Trazar las letras en el aire y en el pizarrón. Combinar la *i* con la *u* y la *e* para formar diptongos y triptongos: *ui, ie, iu, ei; ieu, eui, uie*. Usar cuadernos de cuadrícula grande. Repasar con lápiz las letras delineadas en color rosa. Modelar con plastilina las letras *i, I*.

ENSEÑANZA DE LA LETRA o, O

Letra script (3 sesiones)

Primera sesión: Trazar rueditas en cada cuadrito, separándolas con un guión.

Segunda sesión: Trazar dos rueditas seguidas, separando cada conjunto con un guión.

Tercera sesión: Trazar letras O mayúsculas, separando cada una con un guión.

Letra ligada (4 sesiones)

Primera sesión: Ritmo de la escritura: 2 unidades de movimiento. Letras separadas por un guión.

Segunda sesión: Tres letras encimadas, separadas por un guión.

Tercera sesión: 3 letras ligadas en 6 unidades de movimiento.

Cuarta sesión: Trazar la _O_ mayúscula en 2 unidades de movimiento. Letras separadas por un guión.

UNIDAD DE APRENDIZAJE:

Lectoescritura de la letra o, O. Motivación: la o es como la expresión que emite el jinete para detener al caballo. Repetir el sonido alargándolo así: o o o o. (La exclamación es. ¡Oh!, pero, puesto que nos interesa su pronunciación, así la expresamos.) Formar diptongos con las vocales aprendidas. Repasar con lápiz las letras delineadas en color rosa. Modelar con plastilina las letras o, O.

ENSEÑANZA DE LA LETRA a, A

Letra script (4 sesiones)

Primera sesión: Trazar rueditas en cada cuadrito, separándolas con un guión.

Segunda sesión: Trazar palitos de arriba hacia abajo, separándolos con un guión.

Tercera sesión: Trazar letras a minúsculas con una ruedita agregándole un palito.

Cuarta sesión: Trazar letras A mayúsculas separadas con un guión.

Letra ligada (4 sesiones)

Primera sesión: Ritmo de la escritura: 2 unidades de movimiento. Letras separadas por un guión.

Segunda sesión: Tres letras encimadas, separadas por un gruión.

Tercera sesión: 3 letras ligadas en 6 unidades de movimiento.

Cuarta sesión: Trazar la a mayúscula en 2 unidades de movimiento. Letras separadas por un guión.

UNIDAD DE APRENDIZAJE:
Lectoescritura de la letra *a*, A. Motivación: la letra *a* es como la expresión que emite una niña que se sorprende al ver una linda mariposa. (La exclamación correcta es: ¡Ah!, pero, puesto que nos interesa su sonido, así lo expresamos.) Combinar las vocales aprendidas para formar diptongos y triptongos. Usar cuadernos de cuadrícula grande. Modelar con plastilina las letras *a*, A.

DIPTONGOS Y TRIPTONGOS
Letra script

ue – ia – oi – ae

ue　　　　ia　　　　oi　　　　ae

ai – oe – io – uo

ai　　　　oe　　　　io　　　　uo

uau – aue – iou –

uau　　　　aue　　　　iou

Letra ligada

ue　ia　oi　ae

ue　　　　ia　　　　oi　　　　ae

ai　oe　io　uo

ai　　　　oe　　　　io　　　　uo

uau　aue　iou

uau　　　　aue　　　　iou

UNIDAD DE APRENDIZAJE:
　Escritura y lectura de diptongos y triptongos en letra script y ligada.

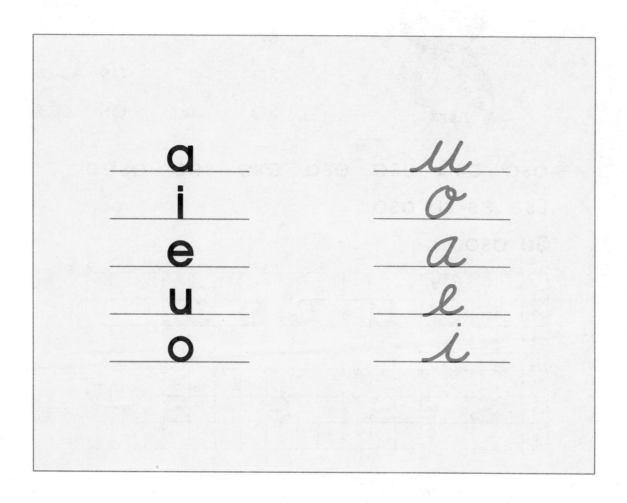

ai   ai -

ue - ue -

UNIDAD DE APRENDIZAJE:
　　Esta prueba de visualización, escritura y dictado consta de dos partes. 1. Indique a sus alumnos que en la parte de arriba unan con una línea cada letra de la columna izquierda con su correspondiente de la columna derecha. 2. En la parte de abajo, dígales que repasen con su lápiz las letras tenues y dícteles 5 diptongos distintos de los que hay en esta página.

Aciertos: 10　　　　*Valor de la prueba*: 10 puntos　　　*Calificación*: _____

oso

su	*su*	us	*us*
se	*se*	es	*es*
si	*si*	is	*is*
so	*so*	os	*os*
sa	*sa*	as	*as*

oso asa usa esa ese sea aseo

Ése es su oso.

Su oso.

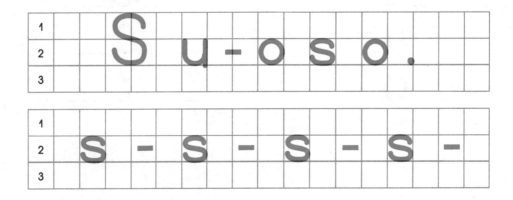

UNIDAD DE APRENDIZAJE:

Lectoescritura. Enseñanza de la letra *s* (ese). *Desarrollo*: 1. Motivación: llamar la atención sobre el dibujo y hacer preguntas como: ¿conocen los osos?, ¿dónde los han visto?, ¿cómo son? Pronunciar la palabra *oso*. Dar énfasis al sonido de la *s* (ese) alargándola así: *s s s*. Unir la letra *s* con cada una de las vocales para formar sílabas directas e inversas. 2. Lectura de las palabras. 3. Ejercicios de escritura script y ligada.

22

tose

tu	*tu*	ut	*ut*
te	*te*	et	*et*
ti	*ti*	it	*it*
to	*to*	ot	*ot*
ta	*ta*	at	*at*

tío tíos tía tías tos tus
esta ata ate té tea seta
Tito tose.

1	Tito - tose.
2	
3	

1	t - t - t - t - t
2	
3	

Tito tose.

t - t - t - t - t - t

UNIDAD DE APRENDIZAJE:
    Lectoescritura. Enseñanza de la letra *t* (te). *Desarrollo*: 1. Motivación: observar la ilustración y preguntar: ¿qué hace Tito? Pronunciar la palabra *tose*. Dar énfasis a la letra que se enseña. Emitir el sonido alargándolo así: *t t t*. Unir la letra *t*, con cada una de las vocales para formar sílabas directas e inversas. Leer las sílabas y las palabras. Formar nuevas frases con las letras conocidas. 2. Ejercicios de escritura script y ligada.

23

m M

mesa

mu	*mu*	um	*um*
me	*me*	em	*em*
mi	*mi*	im	*im*
mo	*mo*	om	*om*
ma	*ma*	am	*am*

amo   ama   mío   mima   mamá

mesa masa mimo mía misa meta

Memo toma mi moto.

Mete mi mesa.

Mi - mesa.

m - m - m - m - m -

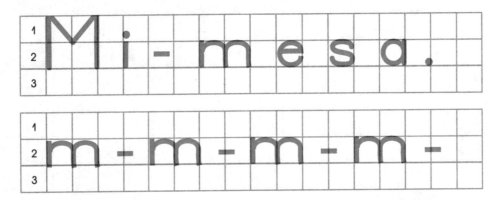

Mete mi metate.

m - m - m - m - m

UNIDAD DE APRENDIZAJE:

Lectoescritura. Enseñanza de la letra *m* (eme). *Desarrollo*: 1. Motivación. Formular algunas preguntas sobre la ilustración, por ejemplo, ¿cómo son las mesas?, ¿de qué material están echas?, ¿para qué se usan? Pronunciar la palabra *mesa* alargando el sonido de la letra inicial, de este modo: *m m m*. 2. Lectura de sílabas y palabras. 3. Ejercicios de escritura script y ligada.

24

1					1			
2					2			
3					3			

IL

limas

lu	*lu*	ul	*ul*
le	*le*	el	*el*
li	*li*	il	*il*
lo	*lo*	ol	*ol*
la	*la*	al	*al*

ala   lomo   aleta   loma   muleta

ola   lama   olmo   alma

mole   sol   maleta   mula

Las limas mías.

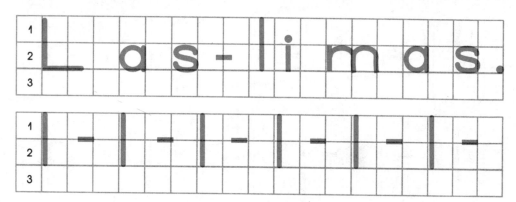

La lima mía.

l l l l l l l l l

UNIDAD DE APRENDIZAJE:

Lectoescritura. Enseñanza de la letra *l* (ele). *Desarrollo*: 1. Motivación. Observar la ilustración y comentarla. Conversar acerca de las limas: ¿cómo son?, ¿a qué saben? Pronunciar la palabra *lima* alargando el sonido inicial, así: *l l l*. 2. Lectura de sílabas y palabras. 3. Ejercicios de escritura script y ligada.

p P

pato

pu *pu*   up *up*
pe *pe*   ep *ep*
pi *pi*   ip *ip*
po *po*   op *op*
pa *pa*   ap *ap*

pato	tapa	sopa	peso	puma
polo	piso	pasa	pelo	topo
apio	pata	papa	palo	pasto
patata	papalote	pelota		pulpo

Pepe pisa al pato.

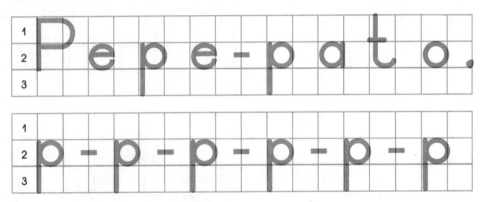

Pepe - pato.

p - p - p - p - p - p

Pepe pisa al pato.

p p p p p p p p

UNIDAD DE APRENDIZAJE:
Lectoescritura. Enseñanza de la letra *p* (pe). *Desarrollo*: 1. Motivación. Observar la ilustración y comentarla. Conversar acerca de los patos: ¿cómo son?, ¿dónde viven? Pronunciar la palabra *pato* alargando el sonido de la letra inicial, así: *p p p*. Trazar la letra en el aire, en el pizarrón y en los cuadernos. 2. Lectura de sílabas y palabras. 3. Ejercicios de escritura script y ligada.

26

Toma tu pan

Ese es un oso

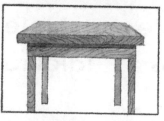

Mete esa mesa

El pato se asoma

Toma esa lima

Tu tía tose

Maestro: indique a sus alumnos que unan con una línea cada ilustración con frase correspondiente.

Aciertos: 5   *Valor de la prueba*: 10 puntos   *Calificación*: _____

dados

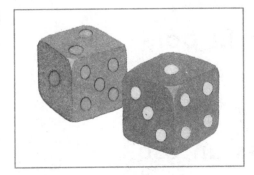

du	*du*	ud	*ud*
de	*de*	ed	*ed*
di	*di*	id	*id*
do	*do*	od	*od*
da	*da*	ad	*ad*

dime   mide   pido   moda   todo   lodo   suda

seda   idea   domo   dale   dile   duele

dúo   mudo   poda   pide   dos   idioma

Dame dos dados.

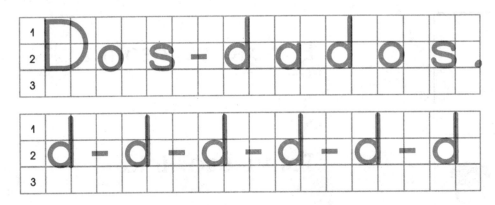

Dos - dados.

d - d - d - d - d - d

Dame dos dados.

d d d d d d d

UNIDAD DE APRENDIZAJE:

    Lectoescritura. Enseñanza de la letra *d* (de). *Desarrollo*: 1. Motivación. Observar la ilustración y conversar acerca de los dados. Jugar con dados. Pronunciar la palabra *dado* alargando el sonido de la letra inicial, así: *d d d*. Trazar la letra en el aire, en el pizarrón y en los cuadernos 2. Lectura de sílabas y palabras. 3. Ejercicios de escritura script y ligada.

1	n - N		1			n N
2			2			
3			3			

nido

nu	*nu*	un	*un*
ne	*ne*	en	*en*
ni	*ni*	in	*in*
no	*no*	on	*on*
na	*na*	an	*an*

una   mona   nene   pone   lino   lana

pino   mina   mano   sano   lona   pan

nada   tiene   pena   tuna

Nina tiene un nido.

1	N i n a - n i d o
2	
3	

1	n - n - n - n - n - n - n
2	
3	

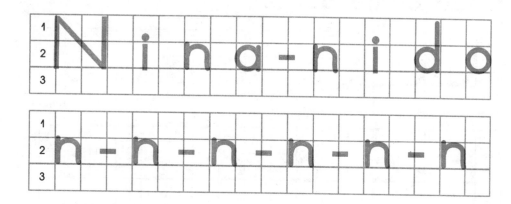

1	Nina tiene un nido.
2	
3	
1	n n n n n n n n
2	
3	

UNIDAD DE APRENDIZAJE:

Lectoescritura. Enseñanza de la letra *n* (ene). *Desarrollo*: 1. Motivación. Observar la ilustración y coméntala. El nido es la casa de los pajaritos. No es correcto destruir los nidos. Pronunciar la palabra *nido* alargando el sonido inicial, así: *n n n*. Trazar la letra en el aire, en el pizarrón y en los cuadernos. Lectura de sílabas y palabras. 2. Ejercicios de escritura script y ligada.

c C

coco

ca *ca*   ac *ac*
co *co*   oc *oc*
cu *cu*   uc *uc*

oca cama toco taco pecas
codo coco toca cola pico
mico seco copa casa oca
poco saco loca mica
Cuca come coco.

Cuca - coco.

C - C - C - C - C - C

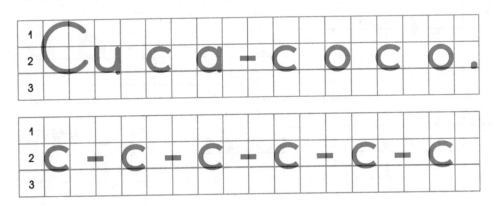

Cuca come coco.

c c c c c c c c c

UNIDAD DE APRENDIZAJE:
Lectoescritura. Enseñanza del sonido fuerte de la c (ce). *Desarrollo*: 1. Motivación. Observar la ilustración y comentarla. ¿Han probado los cocos?, ¿cómo son? Pronunciar la palabra *coco* alargando el sonido inicial, así: *c c c*. Trazarla en el aire, en el pizarrón y en el cuaderno. Lectura de sílabas y palabras. 2. Ejercicios de escritura script y ligada.

30

1		r - R				1					
2						2					
3						3					

r R

rosa

ru *ru*		ur *ur*
re *re*		er *er*
ri *ri*		ir *ir*
ro *ro*		or *or*
ra *ra*		ar *ar*

rueda   reina   risa   rana   tarro

ramo   remo   río   corre   perro   torre

raro   tierra   sierra   ruta   roedor

Rita tiene rosas.

1		R i t a - r o s a s .
2		
3		

1		r - r - r - r - r - r
2		
3		

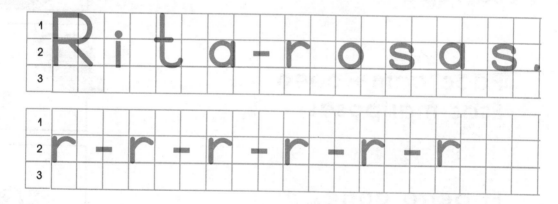

1		*Rita tiene rosas.*
2		
3		
1		*r r r r r r r r r*
2		
3		

UNIDAD DE APRENDIZAJE:

Lectoescritura. Enseñanza del sonido fuerte de la *r* (ere). se llama erre cuando es la letra inicial de la palabra. Se escribe doble (*rr*) y se pronuncia también fuerte cuando es intermedia. *Desarrollo*: 1. Motivación. Llamar la atención hacia la ilustración y platicar acerca de las rosas. Pronunciar la palabra *rosas* alargando el sonido de la letra inicial, así: *r r r*. Trazar la letra en el aire, en el pizarrón y en los cuadernos. 2. Lectura de sílabas y palabras. 3. Ejercicios de escritura script y ligada.

Mi mandarina
Mi maleta

Una mano
Un mono

La papa
La tapa

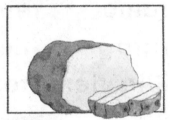

Paço come coco
Esas mariposas

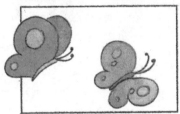

El perro corre
El toro come

Esos dos dados
Esos dos dedos

Maestro: Indique a sus alumnos que unan con una línea cada ilustración con la idea correspondiente, como lo indica el ejemplo.

32   *Aciertos:* 5   *Valor de la prueba:* 10 puntos   *Calificación:* _____

1			1
2	v - V		2
3			3

v **V**

vaca

vu	*vu*		uv	*uv*
ve	*ve*		ev	*ev*
vi	*vi*		iv	*iv*
vo	*vo*		ov	*ov*
va	*va*		av	*av*

uva   ave   nave   nieve   veinte

ventana   pavo   vela   vaca   vivo

vino   convento   veo   vivienda

Veo una vaca.

1									
2	V	e	o	-	v	a	c	a	.
3									

1													
2	V	-	V	-	V	-	V	-	V	-	V	-	V
3													

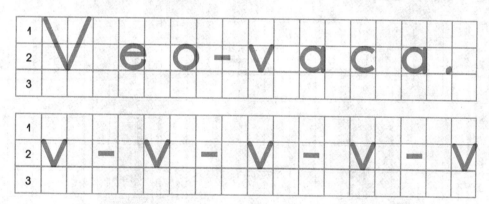

1	
2	*Veo una vaca.*
3	
1	
2	*v v v v v v v*
3	

UNIDAD DE APRENDIZAJE:

Lectoescritura. Enseñanza de la letra *v* (ve). *Desarrollo*: 1. Motivación. Llamar la atención hacia la ilustración y platicar acerca de las vacas. Pronunciar la palabra *vaca* alargando el sonido de la letra inicial, así: *v v v*. Trazar la letra en el aire, en el pizarrón y los cuadernos. 2. Lectura de sílabas y palabras. 3. Ejercicios de escritura script y ligada.

toallas

llu	*llu*	ull	*ull*
lle	*lle*	ell	*ell*
lli	*lli*	ill	*ill*
llo	*llo*	oll	*oll*
lla	*lla*	all	*all*

calle ella silla llora olla talla tallo llamarada

Llueve en el llano.

Calla tu llanto.

Lleva las toallas.

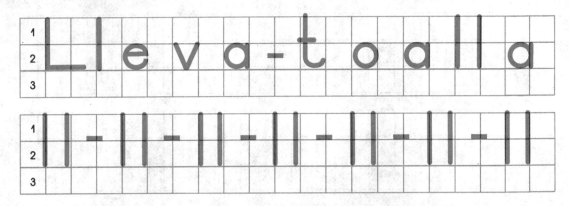

Lleva-toalla

ll - ll - ll - ll - ll - ll - ll - ll

Llueve en el llano.

ll ll ll ll ll ll

UNIDAD DE APRENDIZAJE:

Lectoescritura. Enseñanza de la *ll* (elle). *Desarrollo*: 1. Motivación. Observar la ilustración y hacer comentarios sobre las toallas, por ejemplo, ¿cómo son?, ¿para qué sirven? Pronunciar la palabra *toalla* alargando el sonido de la *ll*, así: *ll ll ll*. Trazar la letra en el aire, el pizarrón y los cuadernos. 2. Lectura de sílabas y palabras. 3. Ejercicios de escritura script y ligada.

b B

balón

bu	_bu_	ub	_ub_
be	_be_	eb	_eb_
bi	_bi_	ib	_ib_
bo	_bo_	ob	_ob_
ba	_ba_	ab	_ab_

bebo   cabo   sabe   bola   boca
bonito   debo   bueno   beso
lobo   batida   batalla   rubio
Beto bota el balón.

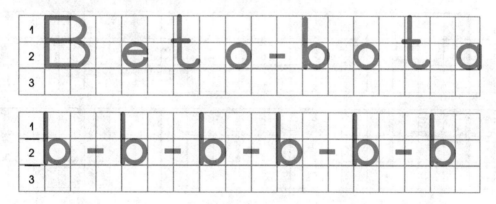

Beto bota el bote.

_b b b b b b b b_

UNIDAD DE APRENDIZAJE:

Lectoescritura. Enseñanza de la letra _b_ (be). _Desarrollo_: 1. Motivación. Observar la ilustración y platicar acerca de los balones. ¿De qué están hechos?, ¿para qué sirven? Pronunciar la palabra _balón_ alargando la letra inicial, así: _b b b_. Trazar la letra en el aire, el pizarrón y los cuadernos. 2. Lectura de sílabas y palabras. 3. Ejercicios de escritura script y ligada.

1	f - F	1	f g
2		2	
3		3	

f F

felino

fu	*fu*	uf	*uf*
fe	*fe*	ef	*ef*
fi	*fi*	if	*if*
fo	*fo*	of	*of*
fa	*fa*	af	*af*

faro   fino   foto   foco   feo   fama   fuma

ufano   filete   final   filoso   fabuloso   afuera

Fela mira el faro.

El felino fino.

1																	
2	F	e	l	i	n	o	-	f	i	n	o	.					
3																	

1											
2	f - f - f - f - f - f - f										
3											

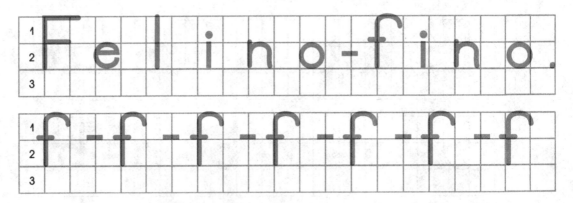

1	
2	*Fela mira el faro.*
3	

1	
2	*f f f f f f f f*
3	

UNIDAD DE APRENDIZAJE:

Lectoescritura. Enseñanza de la letra *f* (efe). *Desarrollo*: 1. Motivación. Llamar la atención hacia la ilustración, ¿cómo son los felinos?, ¿los gatos son felinos? Pronunciar la palabra *felino* alargando el sonido de la letra inicial, así: *f f f*. Trazar la letra en el aire, el pizarrón y los cuadernos. 2. Lectura de sílabas y palabras. 3. Ejercicios de escritura script y ligada.

Maestro: Indique a sus alumnos que unan con una línea la ilustración con su inicial correspondiente, como lo indica el ejemplo.

Aciertos: 5   *Valor de la prueba:* 10 puntos   *Calificación:* _____

araña

ñu *ñu* uñ *uñ*

ñe *ñe* eñ *eñ*

ñi *ñi* iñ *iñ*

ño *ño* oñ *oñ*

ña *ña* añ *añ*

año   uña   montaña   moño

piña   dueño sueño   cabaña   ñu

paño   caña   pestaña   puño

Una araña en su telaraña.

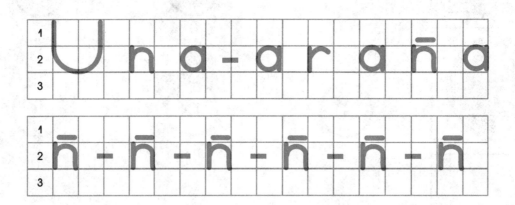

UNIDAD DE APRENDIZAJE:
  Lectoescritura. Enseñanza de la letra *ñ* (eñe). *Desarrollo*: 1. Motivación. Llamar la atención hacia la ilustración y platicar acerca de las arañas. Pronunciar la palabra *araña* alargando el sonido de la eñe, así: *ñ ñ ñ*. Trazar la letra en el aire, el
pizarrón y los cuadernos. 2. Lectura de sílabas y palabras. 3. Ejercicios de escritura script y ligada.

jaula

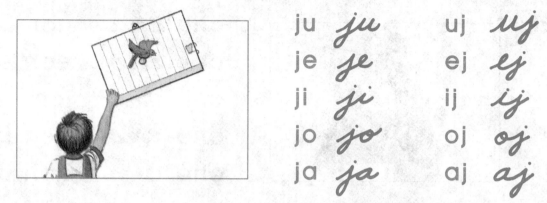

ju	*ju*	uj	*uj*
je	*je*	ej	*ej*
ji	*ji*	ij	*ij*
jo	*jo*	oj	*oj*
ja	*ja*	aj	*aj*

moja ojo oveja teja teje jirafa
tarjeta reja cajeta jarro deja
jueves cojines ajo conejos jamón
Juan jala la jaula.

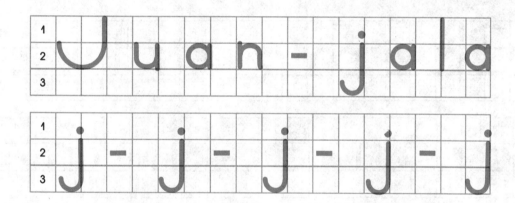

Juan - jala

J - J - J - J - j

Juan jala la jaula.

j j j j j j j j j

UNIDAD DE APRENDIZAJE:
Lectoescritura. Enseñanza de la letra *j* (jota). *Desarrollo*: 1. Motivación. Observar la ilustración y comentarla. Pronunciar la palabra *jaula* alargando el sonido de la letra inicial, así: *j j j*. Trazar la letra en el aire, el pizarrón y el espacio. 3. Ejercicio de escritura script y ligada.

chivo

chu *chu*   uch *uch*
che *che*   ech *ech*
chi *chi*   ich *ich*
cho *cho*   och *och*
cha *cha*   ach *ach*

cachorro   churro   cachucha
ocho   mucho   chile   mochila
chaleco   chal   muchacho
Chucho echa al chivo.

Chu ch o - ch i v o

ch - ch - ch - ch - ch -

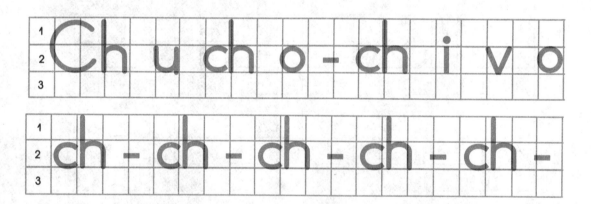

Chucho echa al chivo.

ch ch ch ch ch ch

UNIDAD DE APRENDIZAJE:
    Lectoescritura. Enseñanza de la letra *ch* (che). *Desarrollo*: 1. Motivación. Observar la ilustración y platicar acerca de los chivos. Pronunciar la palabra *chivo* alargando el sonido inicial, así: *ch ch ch*. Trazar la *ch* en el aire, el pizarrón y los cuadernos. 2. Lectura de sílabas y palabras. 3. Ejercicios de escritura script y ligada.

40

queso

que *que*　Que *Que*

qui *qui*　Qui *Qui*

queso　　quema　　tanque　　maqueta
toque　　saquito　　quimono　　máquina
quinqué　　piquete　　queja　　cheque
quiero　　quieto　　paquete　　meñique
Quique come queso.

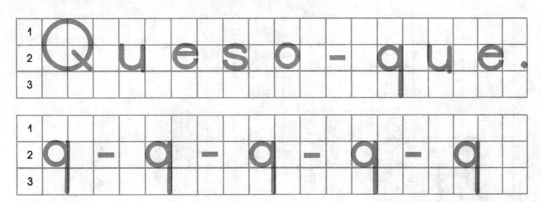

Quique come queso.

q q q q q q q q q q

UNIDAD DE APRENDIZAJE:

　　Lectoescritura. Enseñanza de la letra *q* (qu). *Desarrollo:* 1. Motivación. Llamar la atención hacia la ilustración y plati-car sobre ella. ¿Han comido queso?, ¿de qué está hecho?, ¿cuántas clases de queso conocen? Pronunciar la palabra *queso* alargando el sonido de la sílaba *que*. Trazar la letra en el aire y pronunciarla simultáneamente. Explicar que la *u* intermedia se escribe pero no se pronuncia. Lectura de sílabas y palabras. 3. Ejercicios de escritura script y ligada.

41

gato

ga *ga*	ag *ag*
go *go*	og *og*
gu *gu*	ug *ug*

goma   soga   gato   gusano   pago

lago   algo   toga   gota

gula   chongo   gala   fuego   mago

Igor tiene un gato.

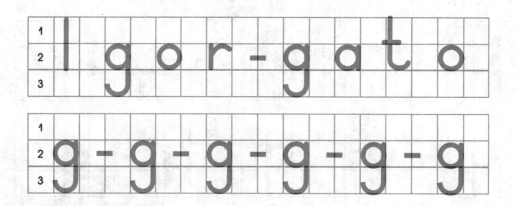

Igor - gato

g - g - g - g - g - g - g

Galo tiene un gato.

g g g g g g g g g g g

UNIDAD DE APRENDIZAJE:
Lectoescritura. Enseñanza del sonido suave de la letra *g* (ge). *Desarrollo*: 1. Motivación. Observar la ilustración y platicar acerca del gato. Pronunciar la palabra *gato* alargando el sonido inicial, así: *g g g*. Trazar la letra en el aire, el pizarrón y los cuadernos. 2. Lectura de sílabas y palabras. 3. Ejercicios de escritura script y ligada.

queso   toque

toque   queso

lago   gato

gato   lago

uña   caña

caña   uña

gota   gato

gato   gota

ojo   pajita

pajita   ojo

chispa   chaleco

chaleco   chispa

Maestro: Indique a sus alumnos que unan con una línea las palabras de la izquierda que sean iguales a las de la derecha, como se muestra en el ejemplo.

Aciertos: 20   *Valor de la prueba:* 10 puntos   *Calificación:* _____

higo

hu	*hu*	uh	*uh*
he	*he*	eh	*eh*
hi	*hi*	ih	*ih*
ho	*ho*	oh	*oh*
ha	*ha*	ah	*ah*

ahora   heno   humo

hueso   hoja   hilo   hola

hueco   huerta   hongo

Huele a higo.

Huele-a-higo.

h - h - h - h - h - h - h -

Huele a humo.

h h h h h h h

UNIDAD DE APRENDIZAJE:
Lectoescritura. Enseñanza de la letra *h* (hache). *Desarrollo*: 1. Motivación. Llamar la atención sobre la ilustración y comentarla. Pronunciar la palabra *higo*, indicando que esta letra se escribe pero no tiene sonido. Trazar la letra en el aire, el pizarrón y los cuadernos. 2. Lectura de sílabas y palabras. 3. Ejercicios de escritura script y ligada.

44

guerrero

guitarra

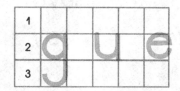

1					
2	g	u	e		
3					

1			
2	g	u	i
3			

1	
2	*gue* *gui*
3	

reguero   guisado   guerrero

guinda   merengue   guitarra

juguete   amiguitos   higuera   guiño

Mi vestido es guinda.

El guisado es sabroso.

La guerra es horrorosa.

UNIDAD DE APRENDIZAJE:
        Lectoescritura. Enseñanza de las sílabas *gue* (gue), *gui* (gui). *Desarrollo*: 1. Motivación. Observar las ilustraciones y conversar sobre ellas. Explicar que la letra *u* que aparece en las sílabas: *gue*, *gui* no tiene sonido y, aunque se escribe en algunas palabras, *no* debe pronunciarse. Trazar en el aire las sílabas *gue*, *gui* al pronunciar las palabras *guerrero* y *guitarra*. 2. Ejercicios de escritura script y ligada por copia o dictado. 3. Lectura de las oraciones.

1	y – Y		1	𝓎 𝒴		Y Y
2			2			
3			3			

yegua

yu	𝓎𝓊	uy	𝓊𝓎
ye	𝓎𝑒	ey	𝑒𝓎
yi	𝓎𝒾	iy	𝒾𝓎
yo	𝓎𝑜	oy	𝑜𝓎
ya	𝓎𝒶	ay	𝒶𝓎

yema		yuca		yegua
yoyo	tuyo		soy	suyo
voy	yate		doy	rey

Yo veo una yegua.

1	Y o – y e g u a
2	
3	

1	y – y – y – y – y
2	
3	

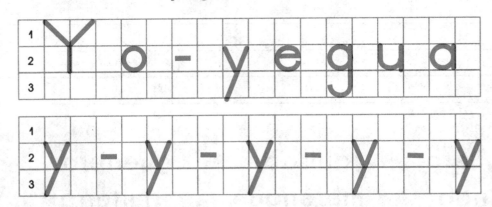

Yolis ve la yegua.

y y y y y y y y

UNIDAD DE APRENDIZAJE:

Lectoescritura. Enseñanza de la letra *y* (ye). *Desarrollo:* 1. Motivación. Llamar la atención sobre la ilustración y comentarla. Explicar que la *y* (ye) que se usa como conjunción y al final de sílaba (rey) tiene el mismo sonido que la vocal *i*. Pronunciar la palabra *yegua* poniendo énfasis en el primer sonido pero evitando la confusión con la letra *ll* (elle) cuyo sonido es parecido pero no exactamente igual. 2. Lectura de sílabas y palabras. 3. Ejercicios de escritura script y ligada.

koala

ku *ku*   ke *ke*
ki *ki*   ko *ko*
ka *ka*

kilogramo   karate   kiosco
koala   kiwi   kermés   kikiriki
Keiko   kilómetro

El koala pesa un kilogramo.

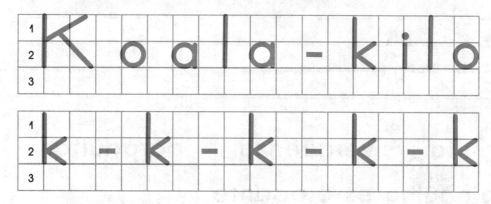

UNIDAD DE APRENDIZAJE:
Lectoescritura. Enseñanza de la letra *k* (ka). *Desarrollo*: 1. Motivación. Observar la ilustración. Pronunciar la palabra *koala* alargando el sonido de la letra inicial. Trazar la letra. 2. Lectura de sílabas y palabras. Explicar que esta letra se escribe como se indica, pero que suena como el sonido fuerte de la *c* (ce) en las sílabas *ca*, *co*, *cu*. 3. Ejercicios de escritura script y ligada.

47

pingüino   cigüeña

güi   güe

yegüita   vergüenza   paragüitas

El pingüino es elegante.

La cigüeña tiene las
patas y el pico largos.

Yo paseo en mi yegüita.

El paragüitas está mojado.

UNIDAD DE APRENDIZAJE:
   Lectoescritura. Enseñanza de las sílabas *güe* (güe), *güi* (güi). 1. Explicar que la letra *u* se escribe entre las sílabas: *güe, güi* con dos puntitos arriba (*diéresis*) para que puedan sonar las tres letras juntas. Observar las ilustraciones y hacer comentarios sobre ellas. 2. Lectura de las palabras y oraciones. 3. Ejercicios de copia y dictado de escritura script y ligada.

1	z̄	z - Z	1	ȝ̄	ȝ	z Z
2	z̄		2	ȝ	ȝ	
3	z̄		3			

zorra

zu	zu	uz	uz
ze	ze	ez	ez
zi	zi	iz	iz
zo	zo	oz	oz
za	za	az	az

zancudo   zopilote   zapato

manzana   zapote   tuza

zanahoria   nariz   zurdo

Zoila ve la zorra.

1		Z o i l a - Z - Z
2		
3		

1		Z - Z - Z - Z - Z
2		
3		

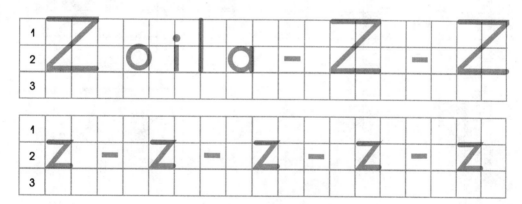

1	Zoila ve la zorra.
2	
3	

1	ȝ ȝ ȝ ȝ ȝ ȝ ȝ ȝ
2	
3	

UNIDAD DE APRENDIZAJE:

Lectoescritura. Enseñanza de la letra z (zeta). *Desarrollo*: 1. Motivación. Observar la ilustración y platicar acerca de los zorros. Pronunciar la palabra *zorra* alargando el sonido de la letra inicial, así: z z z. Trazar la letra en el aire, el pizarrón y los cuadernos. Explicar que la z (zeta) es una consonante que se pronuncia igual que la letra s colocada delante de e, i (seco, sitio, simio). Así, zapoteca, zapato, zopilote deben pronunciarse con el sonido de la letra s. 2. Lectura de sílabas y palabras. 3. Ejercicios de escritura script y ligada.

49

Xóchitl

Xochimilco
Xóchitl
examen
texto
asfixia

Xóchitl es de México.

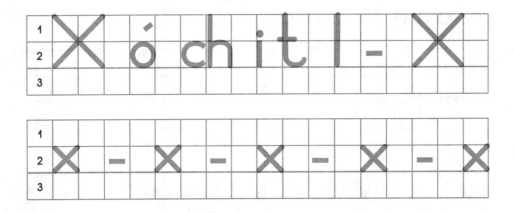

UNIDAD DE APRENDIZAJE:

Lectoescritura. Enseñanza de la letra *x* (equis). *Desarrollo*: 1. Motivación. Observar la ilustración y hacer comentarios al respecto. (Esta joven se llama Xóchitl.) Explicar que la *x* representa en español el sonido *ks* o *gs* (éxito, examen, oxígeno) y a veces suena como *j* (Xavier). En México representa valores fonéticos diferentes, de los cuales se distinguen tres: suena como *ch* suave francesa (Xayay, Xola); como *s* (Xóchitl, Xochimilco); como *j* (México, Xalapa). 2. Lectura de palabras. 3. Ejercicios de escritura script y ligada.

Wenceslao

Wenceslao

Wilfrido

Xóchitl y Wilfrido
van a Winchester.

A Wenceslao le gusta
la música de Wagner.

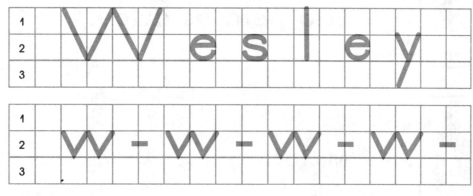

UNIDAD DE APRENDIZAJE:

Lectoescritura. Enseñanza de la letra *w* (doble v). *Desarrollo*: 1. Motivación. Observar la ilustración y comentarla. Explicar que esta letra no pertenece propiamente al idioma español. En alemán suena como *v* (Wagner, Weirmar, Wagon, que se pronuncian Vagner, Veimar, vagón). En inglés, al principio suena como *u* (West, William, Wellington, se pronuncian Uest, Uilian, Uélington). 2. Lectura de palabras. 3. Ejercicios de copia y dictado de escritura script y ligada.

Ese es un toro.

Tito mira al títere.

El gato quiere jugar.

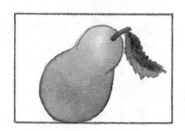

Esta pera es dulce.

Mi loro grita.

pera	cara	coro	aro
muro	morado	oro	lira
vara	pera	puro	por
par	ver	ser	hora

UNIDAD DE APRENDIZAJE:
    Lectoescritura. Repaso y afirmación de la *r* (ere), sonido suave. *Desarrollo*: 1. Motivación. Observar las ilustraciones y platicar acerca de cada una. Explicar que la letra *r* (ere) intermedia, sencilla, o sea cuando está sola, suena suave. 2. Lectura de palabras y oraciones. 3. Ejercicios de copia y dictado de las frases de esta página.

El cisne

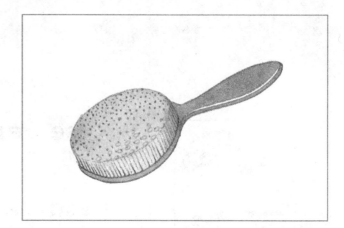

Un cepillo

cera   cinco   cena   cielo

Cirilo enciende el cerillo.

Esa ciruela

La cebra

1													
2	c	i	r	u	e	l	a	-	c	e		
3													

1	
2	*Esa ciruela. Un cepillo.*
3	

UNIDAD DE APRENDIZAJE:
   Lectoescritura. Enseñanza del sonido suave de la *c* (ce). *Desarrollo*: 1. Motivación. Observar las ilustraciones y platicar sobre ellas. Al pronunciar las palabras, dar énfasis al sonido de las sílabas: *ce, ci*. 2. Lectura de las palabras. 3. Ejercicios
de copia y dictado de escritura script y ligada usando las frases incluidas en esta página.

Ese cepillo.

Esa ventana.

Un papalote.

Esa manzana.

Un zopilote.

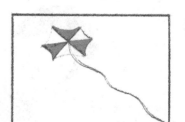

Esa taza.

Esa guitarra.

Ese gato.

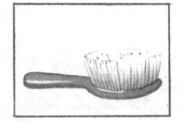

Una araña.

Una silla.

Maestro: Indique a los alumnos que unan con una línea las palabras con su ilustración correspondiente.

Aciertos: 10   *Valor de la prueba:* 10 puntos   *Calificación:* _____

ABECEDARIO DE LETRAS MINÚSCULAS

Letra script

a - abeja	j - jaula	r - rosa
b - balón	k - kilo	s - silla
c - caracol	l - lima	t - tarro
d - dado	m - mano	u - uvas
e - escalera	n - nido	v - vaca
f - farol	ñ - ñandú	w - waterpolo
g - gato	o - oso	x - taxi
h - helado	p - pelota	y - yegua
i - isla	q - queso	z - zorro

Letra ligada

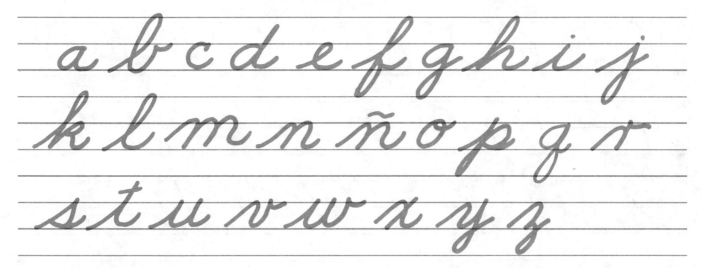

UNIDAD DE APRENDIZAJE:
    Lectoescritura. Repaso del abecedario de letras minúsculas script y ligada. *Desarrollo*: 1. Lectura de las palabras.
2. Ejercicios de copia y dictado de escritura script y ligada.

ABECEDARIO DE LETRAS MAYÚSCULAS

Letra script

A - Ana   J - Juan   S - Sara

B - Berta   K - Karina   T - Tania

C - Carmen   L - Laura   U - Úrsula

D - Daniel   M - María   V - Víctor

E - Elsa   N - Nicolás   W - Wanda

F - Felipe   O - Omar   X - Xóchitl

G - Gonzalo   P - Pablo   Y - Yara

H - Hugo   Q - Quique   Z - Zoila

I - Irma   R - Rosario

Letra ligada

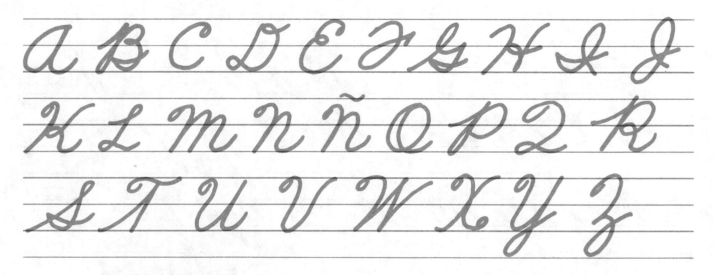

UNIDAD DE APRENDIZAJE:
Repaso del abecedario de letras mayúsculas script y ligada. *Desarrollo*: 1. Lectura de las palabras. 2. Ejercicios de copia y dictado de escritura script y ligada.

Letra script

ABECEDARIO DE LETRAS MINÚSCULAS

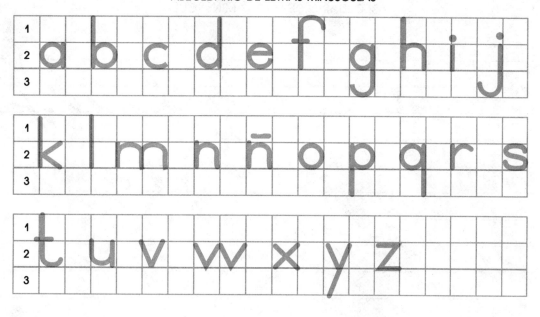

ABECEDARIO DE LETRAS MAYÚSCULAS

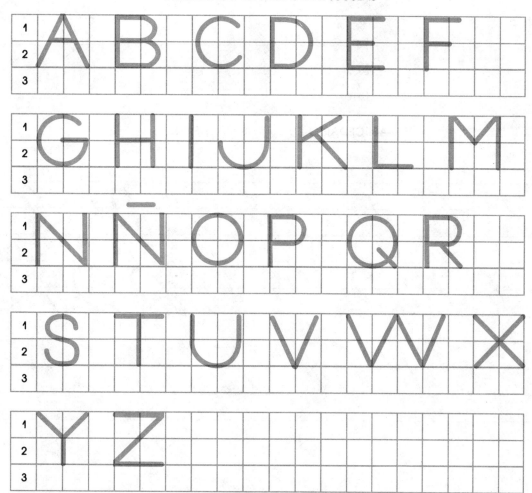

Letra ligada

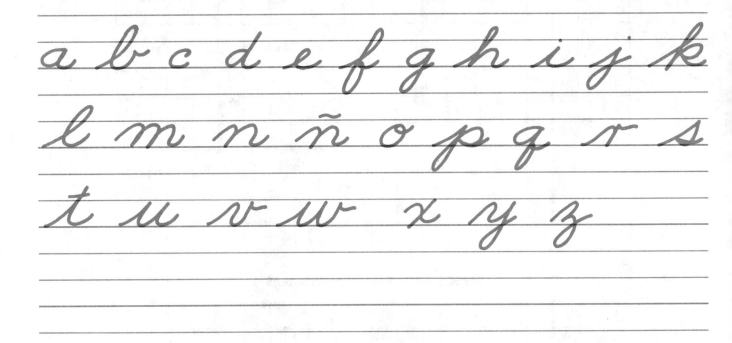

a b c d e f g h i j k

l m n ñ o p q r s

t u v w x y z

ABECEDARIO DE LETRAS MAYÚSCULAS

A B C D E F G H I J

K L M N Ñ O P Q R S

T U V W X Y Z

Repasar las letras con lápiz.

Segunda parte

1. Ejercicios sistematizados de pronunciación de sílabas compuestas en frases y oraciones
2. Ejercicios de lectura oral y silenciosa
3. Ejercicios de escritura script
4. Ejercicios de escritura ligada
5. Ejercicios de copia y dictado
6. Evaluaciones

1			
2	b r - B r		
3			

1			
2	b r - B r		
3			

bri *bri*
bru *bru*
bre *bre*

bro *bro*
bra *bra*

brocha	brazo	bruma	sombra
brisa	pobre	cabra	siembra
brinca	broma	Braulio	Bruno

Bruno es muy trabajador.

Bruno pinta con su brocha.

Bruno compró una cabra.

La cabra es bronca.

Bruno invitó a Brenda.

Brenda y Bruno brincan.

Brenda y bruno brincan.

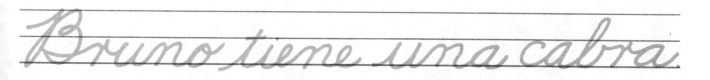

Bruno tiene una cabra

UNIDAD DE APRENDIZAJE:

Ejercicios de pronunciación con las letras *br*, combinadas con las vocales para formar frases y oraciones. Repasar las frases tenues. Dictado de palabras: brocha, brazo, bruma, sombra, brisa, pobre, cabra, siembra, brinca, broma, Braulio, Bruno, etcétera.

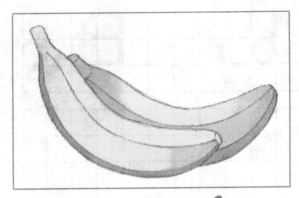

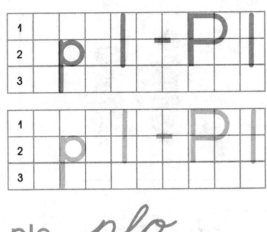

pli *pli*
plu *plu*
ple *ple*

plo *plo*
pla *pla*

plomo   plata   simple   aplanado
plano   sopla   cumple   aplicado   pliego
plato   plaza   sopla   Plácida

Plácida compra plátanos.

Plácida tiene un plumero.

El plumero es de plumas.

Plácido cumple años hoy.

Plácida es aplicada.

Plácida compra plátanos.

Plácida compra plátanos.

Plácida es aplicada.

UNIDAD DE APRENDIZAJE:
Ejercicios de pronunciación con las letras *pl*, combinadas con las vocales para formar frases y oraciones. Repasar las frases tenues. Dictado de palabras: plomo, plata, simple, aplanado, plano, sopla, cumple, aplicado, pliego, plato, plaza, sopla, Plácida, etcétera.

1									
2	g	r	-	G	r				
3									

1									
2	g	r	-	G	r				
3									

gri *gri*
gru *gru*
gre *gre*

gro *gro*
gra *gra*

grano   grillo   grueso   grande

grito   gruta   alegre   suegra

grasa   mugre   trigo   Graciela

El grillo canta alegre.

Los pollitos grandes comen granos de arroz.

En la gruta hay peligro.

El grillo es gracioso.

El grillo es gracioso.

Gracia grita en la gruta.

UNIDAD DE APRENDIZAJE:
    Ejercicios de pronunciación con las letras *gr*, combinadas con las vocales para formar frases y oraciones. Repasar las frases tenues. Dictado de palabras: grano, grillo, grueso, grande, grito, gruta, alegre, suegra, grasa, mugre, trigo, Graciela, etcétera.

fri *fri*
fru *fru*
fre *fre*

fro *fro*
fra *fra*

fruta	franja	franela	cofre
frío	frente	frijoles	Franco
freno	frambuesas	Alfredo	

El frutero tiene fruta.

La fruta está fresca.

Hace mucho frío frente a ese

fresno frondoso.

Alfredo come frijoles refritos.

Franco come fruta fresca.

Franco come fruta fresca.

Franco come fruta.

UNIDAD DE APRENDIZAJE:
Ejercicios de pronunciación de las letras *fr*, combinadas con vocales para formar frases y oraciones. Repasar las frases tenues. Dictado de palabras: fruta, franja, franela, cofre, frío, frente, frijoles, Franco, freno, frambuesas, Alfredo, etcétera.

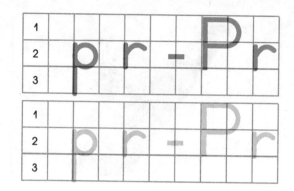

1	
2	pr - Pr
3	

1	
2	pr - Pr
3	

pri *pri*
pru *pru*
pre *pre*

pro *pro*
pra *pra*

prado	prensa	príncipe	premio
precio	primo	siempre	pronto
prende	prueba	primero	prendedor

El prado está primoroso.

Mi prima compró un prendedor

de piedras preciosas.

Curso el primer año de primaria.

Prudencio es mi primo.

Prudencio canta en el prado.

Prudencio canta en el prado.

Prudencio es profesor.

UNIDAD DE APRENDIZAJE:
Ejercicios de pronunciación con las letras *pr*, combinadas con las vocales para formar frases u oraciones. Repasar las frases tenues. Dictado de palabras: prado, prensa, príncipe, premio, precio, primo, siempre, pronto, prende, prueba, primero, prendedor, etcétera.

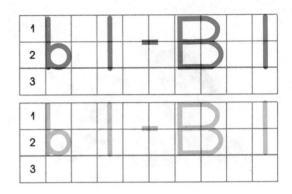

bli *bli*

blu *blu*

ble *ble*

blo *blo*

bla *bla*

tabla	blando	doble	sable
blusa	pueblo	habla	Blas
roble	cable	Pablo	Blanca

La tabla bloquea el camino.

Blanca dobla su blusa.

El roble es un árbol.

Blas es un diablillo.

Blas brinca la tabla.

Blas brinca la tabla.

UNIDAD DE APRENDIZAJE:
Ejercicios de pronunciación con las letras *bl*, combinadas con las vocales para formar frases u oraciones. Repasar las frases tenues. Dictado de palabras: tabla, blando, doble, sable, blusa, pueblo, habla, Blas, roble, cable, Pablo, Blanca, etcétera.

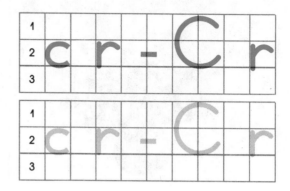

cri	*cri*	
cru	*cru*	
cre	*cre*	

cro	*cro*
cra	*cra*

crema	credo	crayón	Cristina
cromo	cruje	criada	Cristóbal
crudo	cría	cripta	cristal

Cristóbal come crema.

Cristina quiere a Cristóbal.

Cristóbal y Cristina cuidan a los perros.

Cristina cría a los perros.

Cristina cría a los perros.

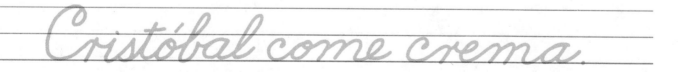

Cristóbal come crema.

UNIDAD DE APRENDIZAJE:
Ejercicios de pronunciación con las letras *cr*, combinadas con las vocales para formar frases u oraciones. Repasar las frases tenues. Dictado de palabras: crema, credo, crayón, Cristina, cromo, cruje, criada, Cristóbal, crudo, cría, cripta, cristal, etcétera.

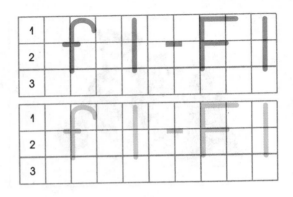

fli *fli*
flu *flu*
fle *fle*

flo *flo*
fla *fla*

flama	flecha	rifle	Flora
fleco	flor	Florencio	flauta
flojo	flaco	flema	Florentino

Flora pone flores frescas
en el florero.

La flama está roja.

Florencio no es flojo.

Flora tiene fleco.

Flora toca la flauta.

Flora toca la flauta.

Flora tiene fleco.

UNIDAD DE APRENDIZAJE:
Ejercicios de pronunciación con las letras *fl*, combinadas con las vocales para formar frases u oraciones. Repasar las frases tenues. Dictado de palabras: flama, flecha, rifle, Flora, fleco, flor, Florencio, flauta, flojo, flaco, flema, Florentino, etcétera.

68

tri *tri*
tru *tru*
tre *tre*

tro *tro*
tra *tra*

trigo   trampa   potro   Trinidad
trapo   trompa   sastre   patrón
tronco   traje   trabajo   Trejo

Trinidad Trejo trabaja.

Usa un traje negro.

Trinidad se trepa sobre

la trompa del elefante.

Trinidad es trabajador.

Trinidad trepa en la trompa.

Trinidad trepa en la trompa.

Trinidad es trabajador.

UNIDAD DE APRENDIZAJE:
Ejercicios de pronunciación con las letras *tr*, combinadas con las vocales para formar frases u oraciones. Repasar las frases tenues. Dictado de palabras: trigo, trampa, potro, Trinidad, trapo, trompa, sastre, patrón, tronco, traje, trabajo, Trejo, etcétera.

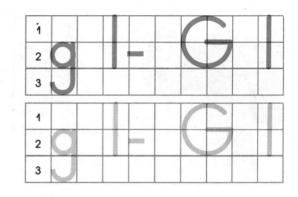

gli *gli*
glu *glu*
gle *gle*

glo *glo*
gla *gla*

globo	**siglo**	**Gloria**
regla	**glorioso**	**Gladis**

Gloria tiene un globo.

Gladis arregla la casa.

Mi abuelita va a la iglesia.

Las gladiolas son lindas.

Gloria juega con su globo.

Gloria juega con su globo.

Glorioso fue Hidalgo.

UNIDAD DE APRENDIZAJE:
Ejercicios de pronunciación con las letras *gl*, combinadas con las vocales para formar frases u oraciones. Repasar las frases tenues. Dictado de palabras: globo, siglo, Gloria, regla, glorioso, Gladis, iglesia, gladiolas, etcétera.

Escribe dos cosas que puedas comprar en los siguientes establecimientos.

En la tienda:

En la farmacia:

En la papelería:

En la carnicería:

En la panadería:

UNIDAD DE APRENDIZAJE:
Maestro: Indique a los alumnos que lean y contesten conforme se les pide, combinando una respuesta, con letra script y la siguiente, con letra ligada.

Aciertos: 10   *Valor de la prueba*: 10 puntos   *Calificación*: _____   71

EVALUACIÓN DE ESCRITURA SCRIPT

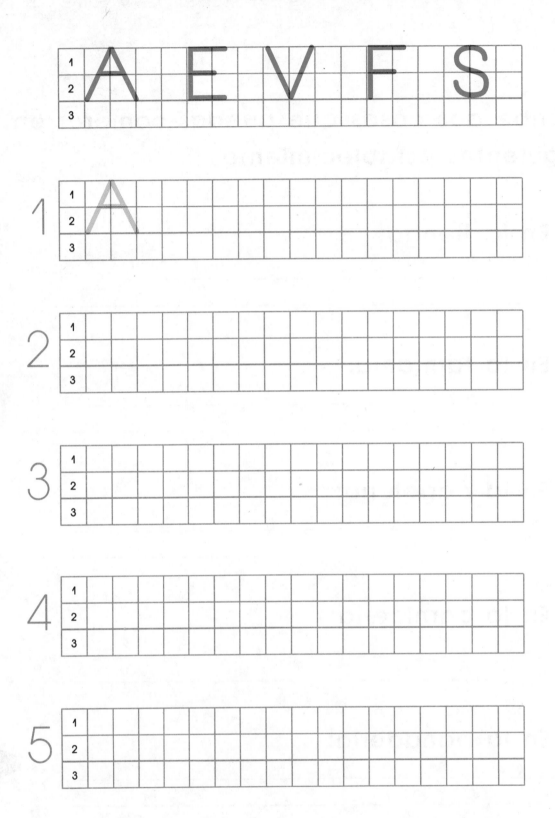

Evaluación de escritura script. 1. Copiar las mayúsculas del cuadro núm. 1. 2. Escribir las cinco vocales minúsculas. 3. Escribir con minúsculas el día de hoy (el que sea). 4. Escribir la palabra mamá con mayúsculas. 5. El alumno escribirá su nombre de pila, la letra inicial con mayúscula y las demás minúsculas.

EVALUACIÓN DE ESCRITURA LIGADA

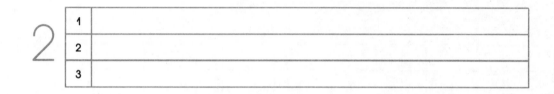

Evaluación de escritura ligada. 1. Copiar las mayúsculas del cuadro núm. 1. 2. Escribir las cinco vocales minúsculas. 3. Escribir con minúsculas el día de hoy (el que sea). 4. Escribir la palabra papá con mayúsculas. 5. El alumno escribirá su nombre de pila, la letra inicial con mayúscula y las demás minúsculas.

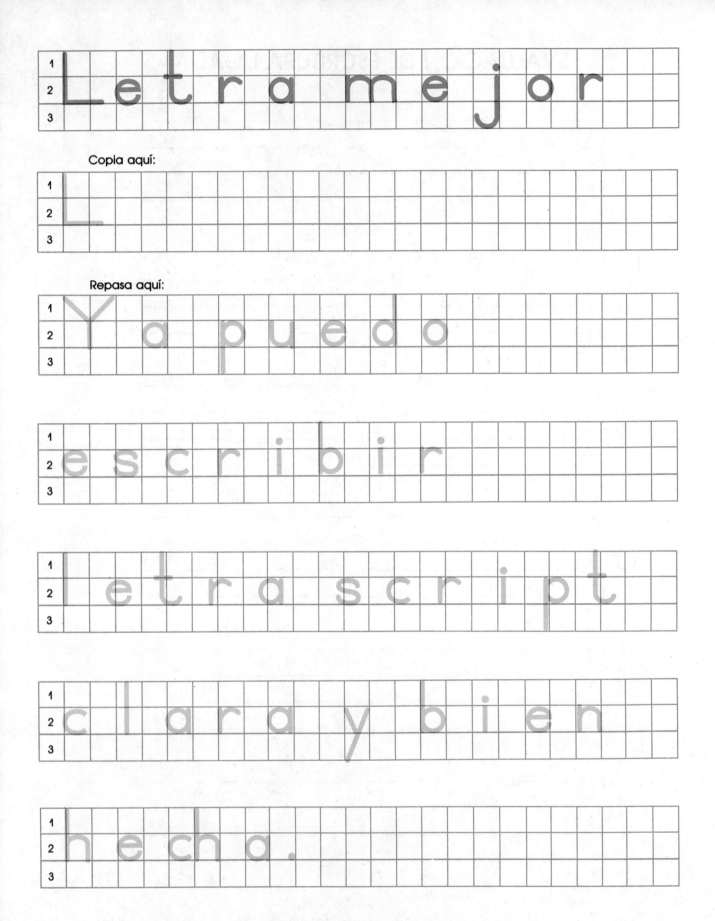

Letra mejor

Copia aquí:

L

Repasa aquí:

Ya puedo

escribir

letra script

clara y bien

hecha.

UNIDAD DE APRENDIZAJE:
Copiar la primera hilera. Repasar con lápiz las palabras trazadas tenuemente.

Tercera parte

1. Lectura oral y expresiva con motivos biográficos de nuestros héroes, temas de la naturaleza y asuntos que interesan a los niños
2. Pruebas de inteligencia
3. Ejercicios para el uso correcto de los signos de puntuación

LA BANDERA NACIONAL

Van marchando los soldados;
uno lleva la bandera.
¡Miradla con gran respeto,
que pasa la patria entera!
Como buenos mexicanos,
amadla con devoción
porque esos tres colores
representan nuestra nación.

EL ÁRBOL

Árbol de mi amor
lleno de verdor;
eres primoroso,
fresco y oloroso,
cuidaré de ti
para ser feliz.

Árbol de mi amor
lleno de verdor;
tus frutos sabrosos
son muy deliciosos,
cuidaré de ti
para ser feliz.

AL ÁRBOL

Letra de
Carmen G. Basurto

Música de
Leobardo Martínez Cortés

Árbol de mi a...mor lle – no de ver- dor

e-res-pri-mo-ro-so fres-co-y-o-loroso Cuidaré

de... tí para ser fe- liz ppp

MAMACITA

Mamacita de mi vida,
mamacita de mi amor,
a tu lado yo no siento
ni tristeza ni temor.
Mamacita, tú me besas
sin engaños, sin rencor,
y por eso yo te quiero,
mamacita de mi amor.

MAMACITA

Letra de
Carmen G. Basurto

Música de
Leobardo Martínez Cortés

Mama —— ci ——————————— ta —— de — mi

vi —— da ma ma-ci-ta-de mi- a-mor a

tu la do yo no sien —— to ni tris te

za ni te mor

Esta es la sombrilla.

Este es el martillo.

Esta es una silla.

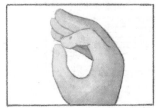

y este es el anillo.

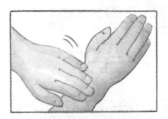

Esta es la sierrita.

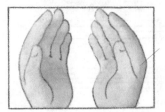

Este es un balón.

y esta es la colita
que mueve el ratón.

LAS MASCOTAS

EL PERRO

En mi casa hay un perro muy bravo.
Mi perro se llama Lancelot.
Cuida la casa durante la noche
y ahuyenta a todos los ladrones.
Lancelot no puede hablar
pero ladra con mucha fuerza.

EL GATO

Tengo un gato. Se llama Minino.
Minino bebe leche y come carne.
Minino atrapa a los ratones.
Minino no puede hablar
pero maúlla con mucha gracia.

EL GALLO Y LA GALLINA

Tengo un gallo y una gallina.
Viven los dos en el gallinero.
Tienen el cuerpo cubierto de plumas.
Sus redondos ojos son bellos
y su pico fuerte y arqueado.
El gallo no puede hablar,
sólo sabe cantar con fuerza
mientras la gallina cacarea.

Dibuja en tu cuaderno un perro,
un gato, un gallo y una gallina

Escribe lo que se te indica.

Dos nombres de niños:

_____

_____

Dos nombres de animales:

_____

_____

Dos nombres de frutas:

_____

_____

Dos nombres de juguetes:

_____

_____

Los tres colores de la bandera nacional:

_____

_____

Maestro: Indique a los alumnos que lean con cuidado y contesten conforme se les indique. Alternar letra script y ligada.

Aciertos: 10   _Valor de la prueba_: 10 puntos   _Calificación_: _____

LA PRIMAVERA

El tiempo en primavera es agradable.

No hace frío ni calor.

Los campos se cubren de pastito.

Hay flores, mariposas y pájaros.

EN VERANO

En el verano hace calor.
Llueve con frecuencia.
Hay mucha fruta.
Desde los charcos se oye el croar
de las ranas y de los sapos.

EL OTOÑO

El otoño es el tiempo de la cosecha.
El aire sopla con fuerza.
El viento arrastra las hojas
secas que caen suavemente
de los árboles.

EL INVIERNO

En el invierno hace mucho frío.

Comienzan las posadas y se acerca la Navidad.

La gente se abriga muy bien.

Los labradores descansan,

y la tierra también.

HÉROES DE MÉXICO

CUAUHTÉMOC

Fue el último rey azteca.
Defendió valerosamente su imperio.
Los conquistadores lo hicieron
prisionero y le quemaron los pies.
Murió ahorcado el 28 de febrero de 1525.
Fue uno de los héroes mexicanos
más valientes.
El nombre de Cuauhtémoc
significa: "Águila que cae."

HIDALGO

Al cura Miguel Hidalgo lo llamamos
con cariño Padre de la Patria
por el amor que demostró a los mexicanos.
Dedicó su vida al estudio y al
trabajo.
Inició la lucha por la
libertad de la nación mexicana
el 15 de septiembre de 1810.

LOS NIÑOS HÉROES

Los Niños Héroes
estudiaban en el
Castillo de Chapultepec.
Amaban profundamente
la patria mexicana.
Murieron defendiendo
la bandera nacional
y se negaron a entregarla
al invasor estadounidense.

BENITO JUÁREZ

Benito Juárez fue durante su niñez
un humilde pastorcito.
Estudió con dedicación durante mucho tiempo
hasta llegar a ser
uno de los hombres más notables
de México y de América.
Fue Gobernador de Oaxaca,

Ministro de justicia,
Presidente de la Suprema Corte.
y Presidente de la República.
Luchó por el triunfo de la justicia.
Protegió los intereses de la nación.
Expulsó del país a los invasores franceses
y nos dejó el recuerdo de una vida
ejemplar. Todos le debemos
reconocimiento.

MIS JUGUETES

Papá nos trajo unos juguetes.
A mi hermanita Consuelo le
compró una muñeca con
zapatos blancos y vestido azul.
A mi hermano Enrique le regaló
una gran pelota
y un trompo de cuerda.
A mí me dio unos patines
y una veloz locomotora.
¡Qué felices somos con estos regalos!
¡Qué bueno es papá!
¡Cuánto lo queremos!

EL CIRCO

Cerca de nuestra casa hay un
circo muy grande.
Se llama Circo Fantasía.
Aquí trabaja Bobito el chistoso,
un payaso tan bueno como gracioso.
Bobito dijo que hará algunos trucos de
magia para los niños
que ya saben leer.

EL AVIÓN

El avión se eleva en el aire.
vuela muy rápido.
Hasta aquí se oye el ruido de
su potente motor.
Parece un gigantesco
pájaro de acero.
Cuando yo sea mayor
quiero ser piloto de
un avión tan grande como ése.

LOS CABALLITOS

¡Qué lindo paseo al lado de mi papá!
Fuimos a la feria
y me subió al carrusel.
Había jirafas, elefantitos y coches;
también caballitos de madera pintados
de negro, rojo, blanco y café.
Me encantó subir a los caballitos, dar
vueltas y escuchar la alegre música.
¡Me divertí
como nunca!

Novena evaluación

Escribe lo que se te indica.

Dos actividades que haces en tu casa antes de venir a la escuela:

____

____

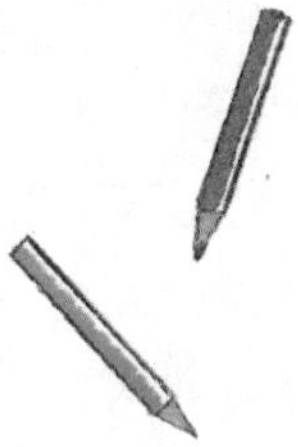

Dos actividades que realizas en la escuela:

____

____

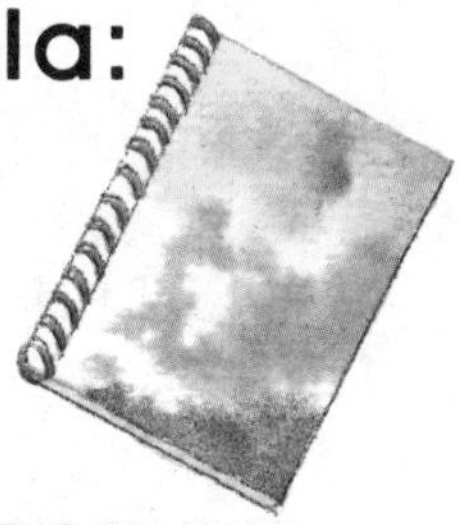

Los nombres de dos de tus útiles escolares:

____

____

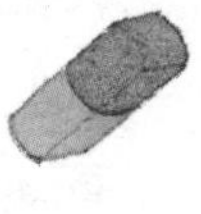

Dos juguetes que te agradan:

____

____

¿A qué sabes jugar?
Anota dos juegos que practicas:

____

____

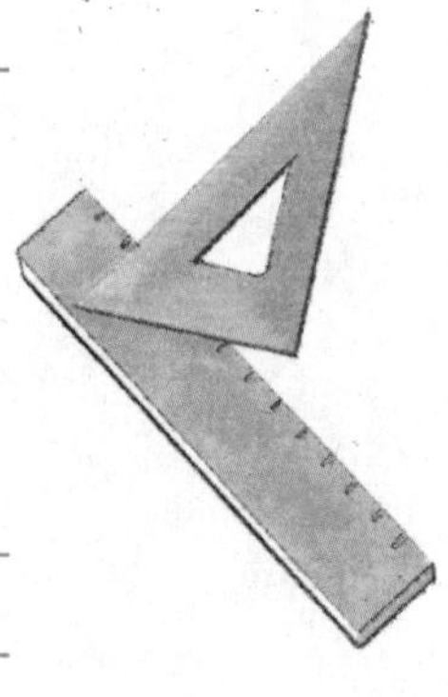

Maestro: Indique a los alumnos que lean con cuidado y contesten conforme se les indica. Alternar letra script y cursiva.

Aciertos: 10 *Valor de la prueba*: 10 puntos *Calificación*: ______________

Preguntas y respuestas
Ejercicios de lectura oral

–¿Ves aquel oso?

–Sí, lo veo claramente.

–¿Tania tiene tos?

–Sí, Tania tiene mucha tos.

–¿Aquélla es tu mesa?

–Sí, aquella mesa es mía.

–¿Tienes una lima?

–No tengo sólo una, tengo muchas limas.

–¿Quieres a Queta?

–¡Claro que sí! ¡Queta es muy linda!

–¿Te gustan las flores?

–¡Son tan bonitas! ¡Me gustan mucho!

–¿Tomas tu jugo?

–Sí, tomo mi jugo de zanahoria.

–¿Te duele el dedo?

–No, me duele la cabeza.

–¿Te gusta el queso?

–Sí, ¡el queso es delicioso!

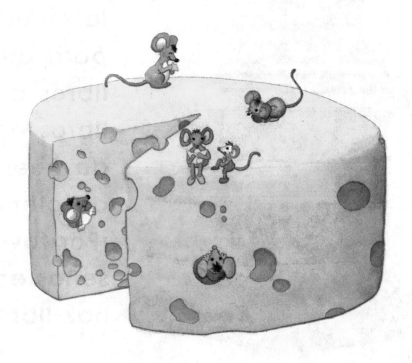

HAZ LIBROS DE AMOR

¡Señor editor!
Haz libros de amor
que tengan escrito
el grito infinito
de un mundo mejor.
No imprimas jamás
palabras de guerra;
el odio en la tierra
destruye la paz.
Señor de la imprenta,
la guerra es afrenta...
Tiene la niñez
la mirada atenta
para que le des
libros que sean buenos,
libros que estén llenos
de cuentos amenos,
de ciencia y de amor.
¡Por favor,
señor editor,
haz libros de amor!

Cosas mexicanas

EL CILINDRO
(diálogo)

–Oiga, señor cilindrero,
su música escuchar quiero...
¡Tóqueme una piececita,
por ejemplo: *La Adelita*,
después otra más bonita,
El jarabe tapatío
porque esto es algo mío!
Toca luego el cilindrero.
–¿Qué vale la piececita?,
pregunta al momento Anita,
porque...pagarle yo quiero
–Tan sólo una monedita,
le contesta.

UNIDAD DE APRENDIZAJE:
Lectura expresiva; ensayarla con todo el grupo. Copiarla en el cuaderno y tratar de memorizarla.

103

–¿Y... su pilón?
–Pues de pilón, muchachita,
te repito *La Adelita*...
Y... ahí tienen al cilindrero,
toca y toca sin parar,
y Anita de buena gana
feliz se pone a bailar
la música mexicana.

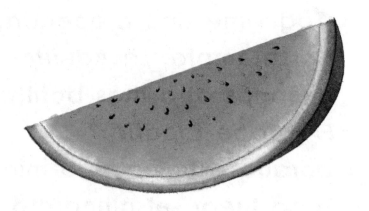

Frutas mexicanas

LA SANDÍA

Verde, blanca y colorada,
dulce y fresca la sandía;
hay en cada rebanada
la bandera retratada
de esta grande patria mía.

EL CACAHUATE

Cacahuate arrugadito,
cacahuate del montón,
lo vende alegre el indito
bien dorado y exquisito...

Yo le compraré un montón,
por lo menos de a "tostón",
para echarlo en la piñata
y aumentar la colación.

LAS CAÑAS

¡Cañas!.. ¡Cañas y no barañas!,
de rica miel muy sabrosa...
Pásele a comprar marchanta,
grita el indio vendedor,
para la boca golosa
porque ésta es la mejor
para aplacar el calor.

UNIDAD DE APRENDIZAJE:
Lecturas expresivas; ensayarlas con todo el grupo.
Copiarlos en el cuaderno y tratar de memorizarlas.

105

LA TIERRA

Esta es la Tierra.
Es el gran mundo donde vivimos.

América, nuestro continente,
ocupa una gran parte de la Tierra.
A América también la llaman
el Nuevo Mundo.

En los países de América viven
millones de personas.

Nosotros, los niños, formamos parte de esos países.

Cuando pasen muchos años, seremos hombres grandes y fuertes, trabajaremos felices y unidos.

Nunca permitiremos que haya guerra.

¡Lucharemos porque siempre haya paz en nuestra amada América y en todo el mundo!

UNIDAD DE APRENDIZAJE:
Lectura expresiva, ensayarla con todo el grupo. Copiarla en el cuaderno y tratar de memorizarla.

107

LA RONDA AMERICANA

Jugaremos a la ronda,
danzaremos al compás
de la música más honda
que responda
al clamor de vida humana,
del progreso y de la paz
en la tierra americana.
Los niños somos hermanos,
colombianos o peruanos;
cogidos bien de las manos
hagamos la ronda inmensa
como nadie se imagina...
uniremos a los pueblos
de la América Latina.

Cuarta parte

Los meses del año en la vida cívica y social de México

FEBRERO

El 5 de febrero se rinde homenaje a la Constitución mexicana.

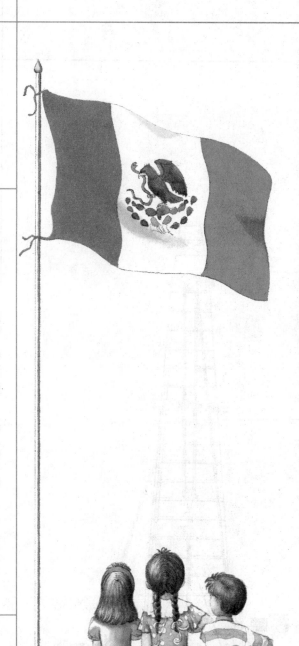

El 22 de febrero de 1913 murió el presidente Francisco I. Madero, iniciador de la Revolución mexicana en 1910.
Cada 22 de febrero, la bandera nacional ondea a media asta en señal de duelo.

El 24 de febrero es el día de la Bandera. Ésta ondea a toda asta como muestra de júbilo.

MARZO

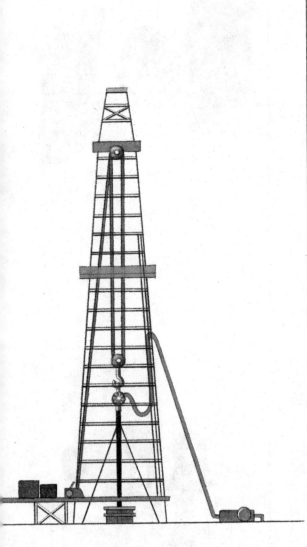

El 18 de marzo de 1938
se decretó la
expropiación petrolera.
Cada 18 de marzo
recordamos la obra del
presidente Lázaro
Cárdenas.

El 21 de marzo de 1806
nació Benito Juárez,
célebre gobernante
de México, conocido
como el Benemérito
de las Américas.

El 18 y 21 de marzo,
la bandera nacional,
ondea a toda asta.

ABRIL

El 10 de abril de 1919
murió el general
Emiliano Zapata, noble
defensor de campesinos.

El 14 de abril es el Día
de las Américas.
Todos los pueblos de
América celebran la
unión de los pueblos
del Nuevo Mundo.

El 27 de abril es
el Día del soldado.
La bandera nacional
ondea a toda asta.

El 30 de abril es. . .
¡el Día del niño!

MAYO

El 1o. de mayo es el
Día del trabajo.

El 5 de mayo de 1862
el ejército mexicano,
dirigido por el general
Ignacio Zaragoza,
derrotó en Puebla
a los invasores franceses.

El 10 de mayo celebramos
el Día de la madre.

El 15 de mayo es el
Día del maestro.

En los días 1o. y 5
de mayo, la bandera
nacional ondea a
toda asta.

AGOSTO

El 15 de agosto es el Día de la victoria de las Naciones Unidas.
La bandera nacional ondea a toda asta.

SEPTIEMBRE

El 15 y 16 de este mes, celebramos nuestra Independencia Nacional.
La bandera mexicana ondea a toda asta.

OCTUBRE

El 12 de octubre de 1492 Cristóbal Colón descubrió América.

NOVIEMBRE

El 20 de noviembre es el Día del aniversario de la Revolución Mexicana.

Cada 20 de noviembre se efectúa un magno desfile deportivo para conmemorar este aniversario.

La bandera nacional ondea a toda asta.

Quinta parte

Trabajos manuales

Sugerencias al maestro

Con el fin de que este libro sea más ameno y tenga distintas aplicaciones prácticas, se presentan algunos modelos de juguetes de cartoncillo para que el alumno los recorte, coloree y arme.

La primera figura es *La casita*. Para formar el caserío de un pueblito, reúna todos los trabajos realizados en el salón de clases. Las casitas se colocarán en una mesa con arena, la que previamente deberá ser arreglada por el maestro, de acuerdo con las sugerencias de los niños.

En segundo lugar se presenta *el borrego*. Con las figuras de todos los alumnos se formará un rebaño.

La tercera figura es *el pato*. Una vez armados y colocados en una tina o estanque con agua, representará una parvada de patitos nadadores.

Por último tenemos *un marco* para que el alumno lo ilumine y pegue en él su propia fotografía o la de su mamá y se la obsequie en el Día de las madres.

Además de las anteriores, se sugieren las siguientes medidas:

- Que cada alumno esté provisto de tijeras, cartoncillo y pegamento.
- Muestre cómo deben desprenderse las figuras del libro. Recorte un modelo y péguelo sobre el cartoncillo e ilumine las figuras, recórtelas y ármelas.
- Cuando todos los alumnos hayan terminado su trabajo, recójalos y colóquelos en una mesa de arena. Después, podrá invitar a los padres de familia a observar labores realizadas.

La exposición de fin de año incluirá: el caserío, el rebaño, el lago con patitos, los marcos para el Día de las madres y el libro con redacciones y recopilaciones elaborado por los propios niños al que titularán: *El libro que yo hice*.

ESCALA PARA EVALUAR LA LECTURA ORAL

REPROBADOS		CALIFICACIÓN
I SUBSILÁBICA.	Por deletreo.	0
II SILÁBICA.	Por sílabas.	2
III CORTADA.	Por palabras.	4
APROBADOS		
IV VACILANTE.	Por frases u oraciones con titubeo.	6
V CORRIENTE.	Por frases u oraciones sin titubeo.	8
VI EXPRESIVA.	Por frases u oraciones con énfasis o matiz.	10

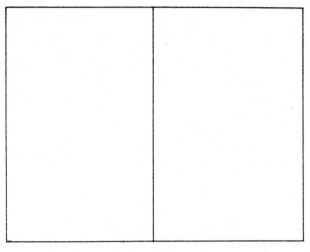

El techo (ilumínalo)

LA CASITA
TERMINADA

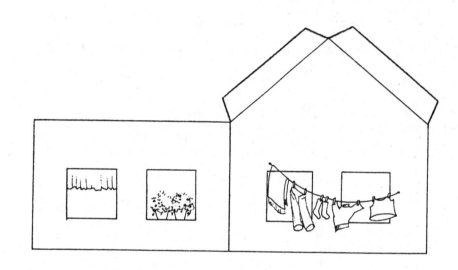

Las paredes
(ilumínalas)

121

EL BORREGO
TERMINADO

Dobla aquí

Ilumínalos
y recórtalos

EL PATO
TERMINADO

Dobla aquí

123

REGALO PARA MAMÁ

LA DESPEDIDA

Ha terminado el año escolar	5
Estoy muy contento porque	9
ya sé leer y escribir,	14
seré aprobado y así	18
ingresaré a Segundo grado.	22
Mis padres se sentirán	26
felices cuando los dos	30
sepan que yo fui	34
dedicado y obediente	37
en la escuela.	40
Dichosos los niños que, como yo,	46
han aprovechado el tiempo.	50

Maestro: Invite por separado a cada uno de sus alumnos para que lean ante usted en voz alta esta lección.
Aciertos 50: *Calificación*: 10 puntos. Para evaluar, aplique la *Escala para medir la lectura oral*, de la pág. 119.